# ¿HAY ALGO MÁS VIEJO QUE UNA TORTUGA GIGANTE?

Robert E. Wells

Editorial Juventud

A mi hijastro, Kurt, mi nuera Vira, y mis nietos Joanna y Jason.
Que vuestro espíritu aventurero continúe...

Título original: WHAT'S OLDER THAN A GIANT TORTOISE?
Escrito e ilustrado por Robert E. Wells
© Texto e ilustraciones: Robert E. Wells, 2004
Publicado por acuerdo con Albert Whitman & Company, Illinois

© Edición castellana:
EDITORIAL JUVENTUD, S. A. 2004
Provença, 101 - 08029 Barcelona
info@editorialjuventud.es
www.editorialjuventud.es

Traducción de Raquel Solà
Primera edición, 2005
Depósito legal: B. 50.223-2004
ISBN 84-261-3436-X
Núm. de edición de E. J.: 10.515
Impreso en España - Printed in Spain
EDIPRINT, c/ Llobregat, 36 - Ripollet

Otros libros de Robert E. Wells en la misma colección

*¿Hay algo más grande que una ballena azul?*
*¿Hay algo más pequeño que una musaraña?*
*¿Sabes contar hasta un googol?*
*¿Cómo se mide el tiempo?*

Algunas tortugas gigantes viven más de 150 años, mucho más que cualquier otro animal terrestre.

PRIMER PREMIO AL ANIMAL
**MÁS LONGEVO**

TORTUGA GIGANTE
EDAD: 150 años
LARGO: 1,52 m
PESO: 230 kg

Si se concediesen medallas a los animales por vivir muchos años, seguro que la TORTUGA GIGANTE ganaría una.

La mayoría de tortugas gigantes
vive en las islas Galápagos,
cerca del Ecuador, o en la isla Aldabra,
que está al norte de Madagascar.

Si *fueras* una tortuga gigante de 150 años, que acaba
de ganar una medalla por haber vivido tanto tiempo,
seguro que también *te sentirías* muy orgulloso.

¡verás cosas que harán que una tortuga gigante parezca joven!

Esta SECUOYA GIGANTE es *mucho más* vieja que tú.

Las secuoyas gigantes crecen en las laderas occidentales de Sierra Nevada, en California.

Estos árboles son unos de los seres vivos más viejos y más grandes de la Tierra.

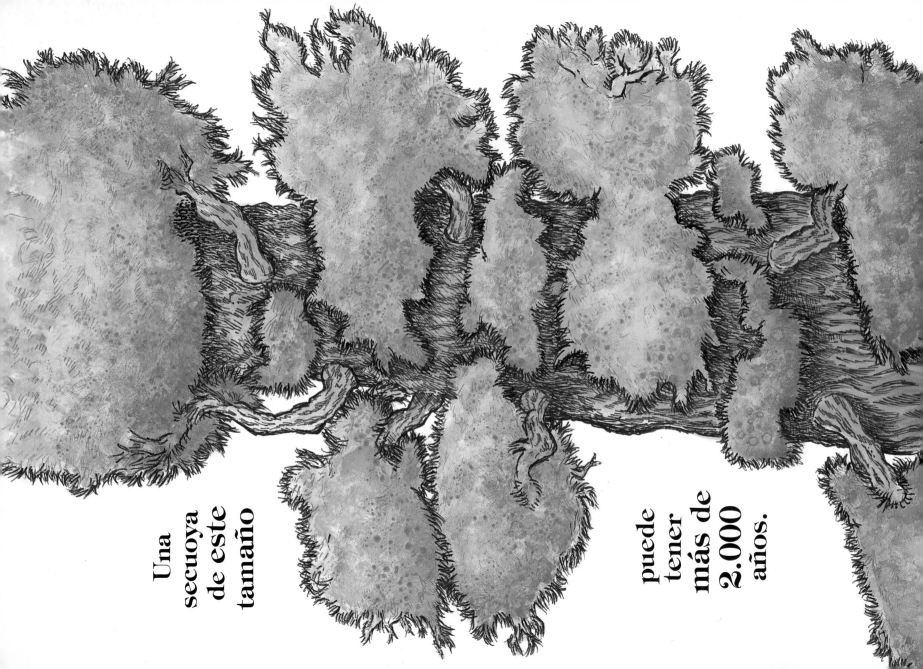

Una secuoya de este tamaño

puede tener más de 2.000 años.

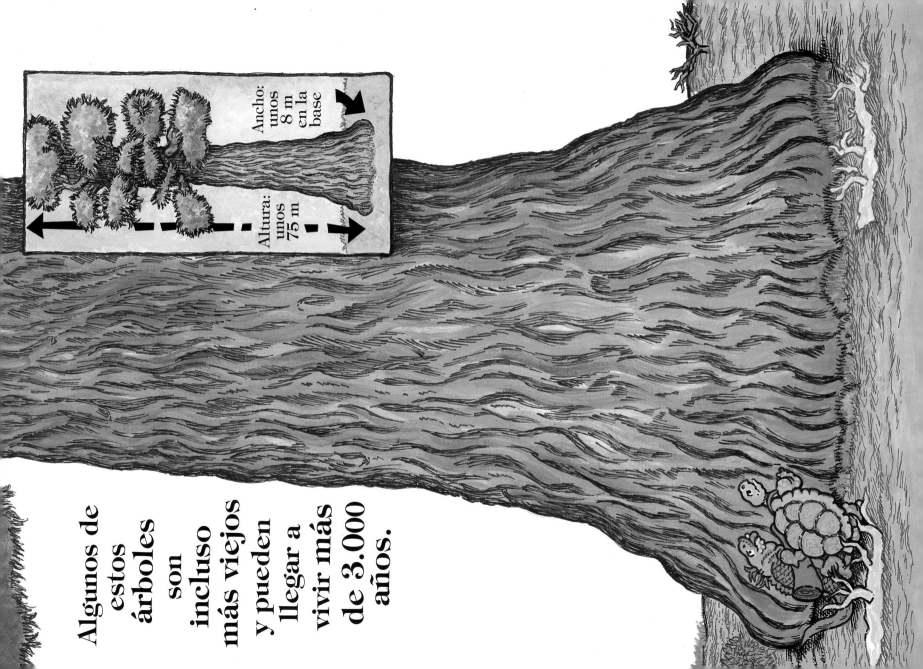

Altura: unos 75 m

Ancho: unos 8 m en la base

Algunos de estos árboles son incluso más viejos y pueden llegar a vivir más de 3.000 años.

# SECCIÓN TRANSVERSAL *de una* SECUOYA GIGANTE

Si cuentas los anillos que tiene una sección transversal de un árbol, contarás los años que ha vivido.

¡Pero seguro que perderías la cuenta si contases los de un árbol muy viejo!

Sí, una secuoya gigante puede que sea bastante vieja,
pero no tan vieja como...

OCÉANO
ATLÁNTICO

las **PIRÁMIDES DE GIZA** en Egipto. Las construyeron los egipcios hace unos 4.500 años, como tumbas para los gobernantes egipcios, llamados faraones.

Las pirámides de Egipto se encuentran entre las construcciones más antiguas del mundo realizadas por seres humanos.

Pero si miras en el lugar correcto,

¡verás que incluso hay algo *más antiguo* hecho por un invasor del espacio!

Esto es METEOR CRATER, en Arizona.
El «invasor del espacio» que hizo este cráter
era un meteorito que medía unos 50 m de ancho.

¡Chocó contra la Tierra hace 49.000 años,
viajando a unos 65.000 km por hora!

Meteor Crater es uno de los más de 160 cráteres producidos por este tipo de impactos que se han descubierto en la Tierra.

(1) VELOCIDAD DEL METEORITO HACIA LA TIERRA.

(2) EL IMPACTO DEL METEORITO ESPARCE LOS MATERIALES

(3) Y FORMA UN CRÁTER MUCHO MAYOR QUE EL METEORITO.

¡Mide 1,5 km de ancho y 150 m de profundidad!

Meteor Crater es 10 veces más antiguo que las pirámides de Egipto...

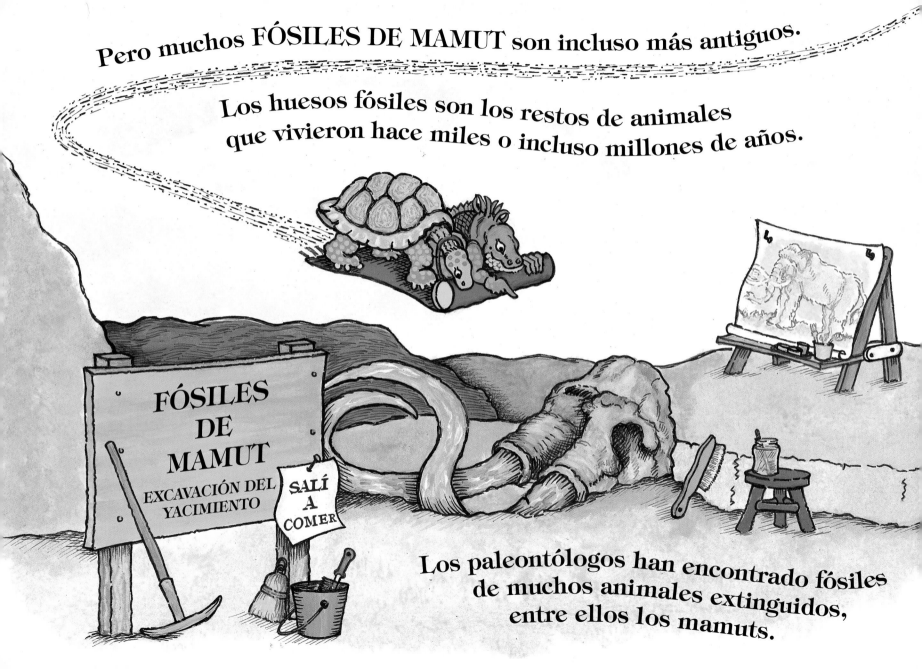

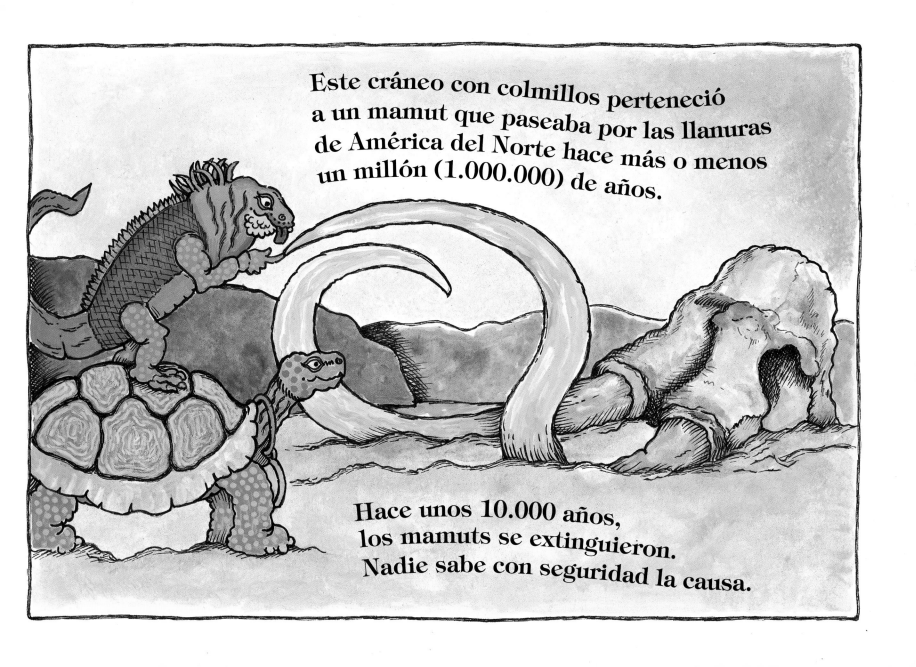

Este cráneo con colmillos perteneció
a un mamut que paseaba por las llanuras
de América del Norte hace más o menos
un millón (1.000.000) de años.

Hace unos 10.000 años,
los mamuts se extinguieron.
Nadie sabe con seguridad la causa.

El MONTE EVEREST, la montaña más alta del mundo. El monte Everest mide más de 8.800 m de altura. Forma parte de la cordillera asiática del Himalaya.

El Himalaya se empezó a formar hace millones de años, cuando las masas continentales de la India y de Asia, que entonces estaban separadas, empezaron a juntarse, y provocaron que la tierra que había entre ellas se elevase.

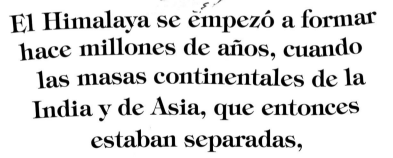

DIRECCIÓN DE LA PRESIÓN

EL AGUA DEL OCÉANO DESAPARECIÓ CON LA PRESIÓN

INDIA          ASIA

EL HIMALAYA EMPEZÓ A ALZARSE CUANDO LAS MASAS CONTINENTALES SE EMPUJARON ENTRE SÍ

INDIA          ASIA

El monte Everest alcanzó su inmensa altura hace 17 millones de años.

Pero, tortuga gigante, puedes ver cosas incluso más viejas que el monte Everest, si sabes dónde buscar.

En el museo de Historia Natural de Nueva York,

verás un esqueleto fósil de un TIRANOSAURO REX, o T. rex, que vivió en la Tierra hace unos 65 millones de años.

**Tyrannosaurus Rex**

ALTURA: unos 5 m

LONGITUD: unos 12 m

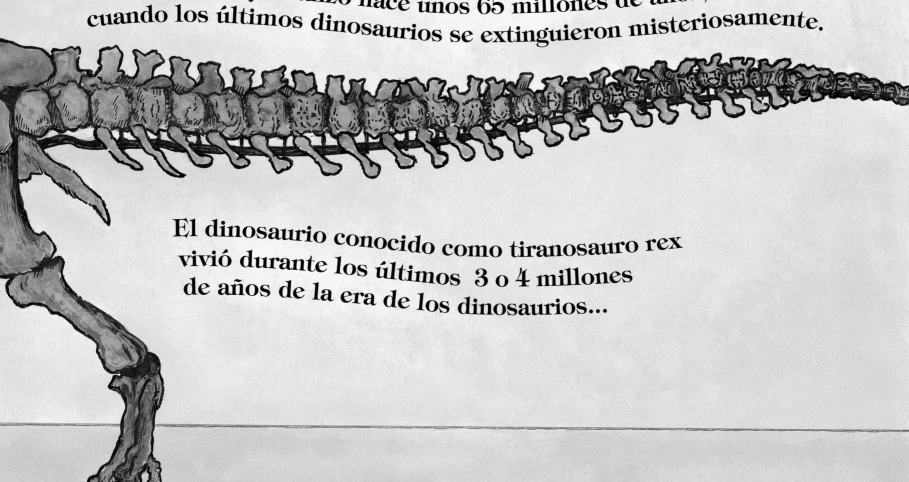

La era de los dinosaurios empezó hace unos 225 millones de años y finalizó hace unos 65 millones de años, cuando los últimos dinosaurios se extinguieron misteriosamente.

El dinosaurio conocido como tiranosauro rex vivió durante los últimos 3 o 4 millones de años de la era de los dinosaurios...

Ahora contén el aliento
y sujétate fuerte.

Para que tengas una mejor perspectiva
de algunas cosas muy antiguas, volaremos
muy alto con la alfombra mágica.

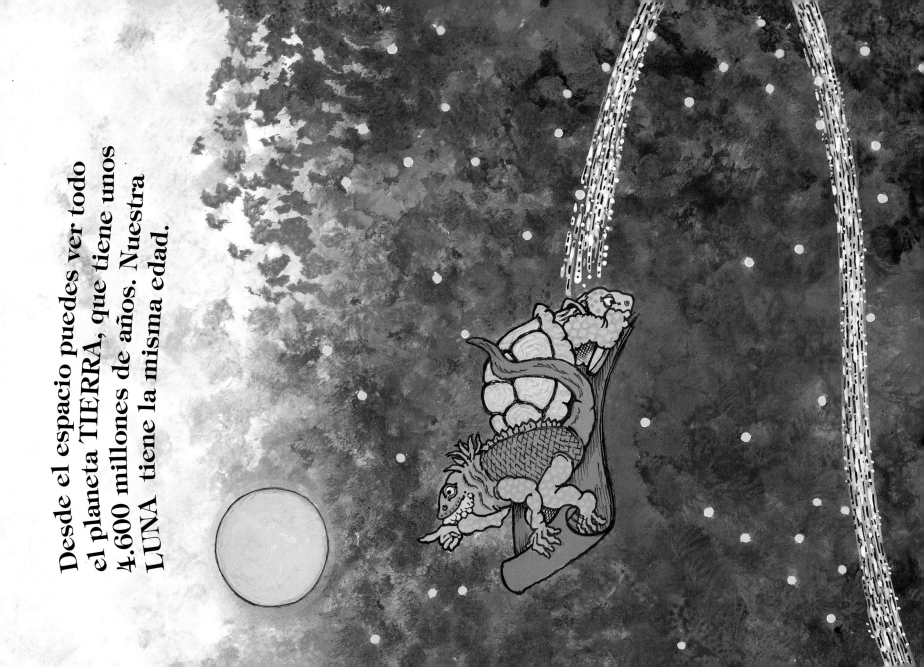

Desde el espacio puedes ver todo el planeta TIERRA, que tiene unos 4.600 millones de años. Nuestra LUNA tiene la misma edad.

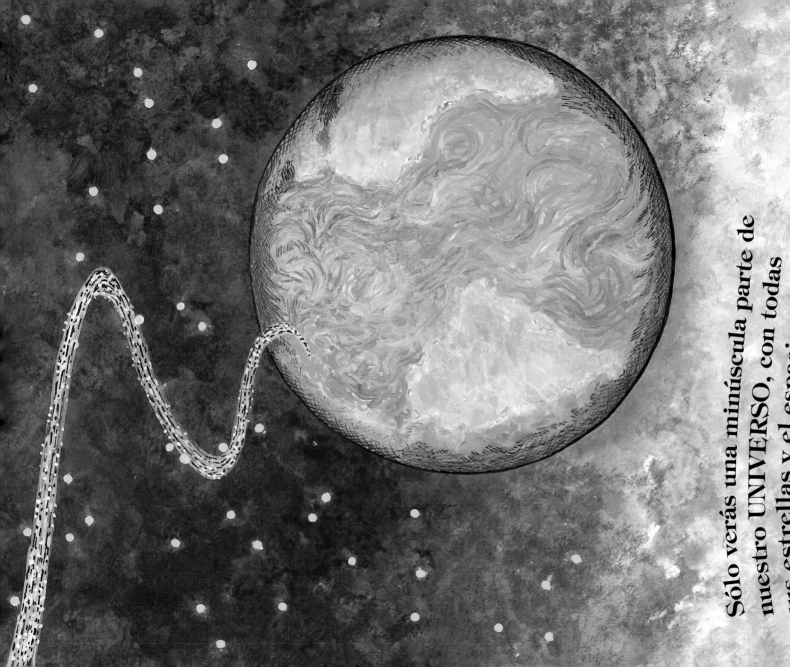

Sólo verás una minúscula parte de nuestro UNIVERSO, con todas sus estrellas y el espacio que las rodea. Se cree que el Universo tiene unos 13.700 millones de años.

Sí, tortuga gigante, hay muchas cosas mucho más viejas que tú. Eres mucho más joven que una montaña, una pirámide o una secuoya gigante.

Sólo eres tan vieja como una tortuga muy vieja.

VIAJES EN ALFOMBRA VOLADORA

IGUANA MÁGICA

GUNI

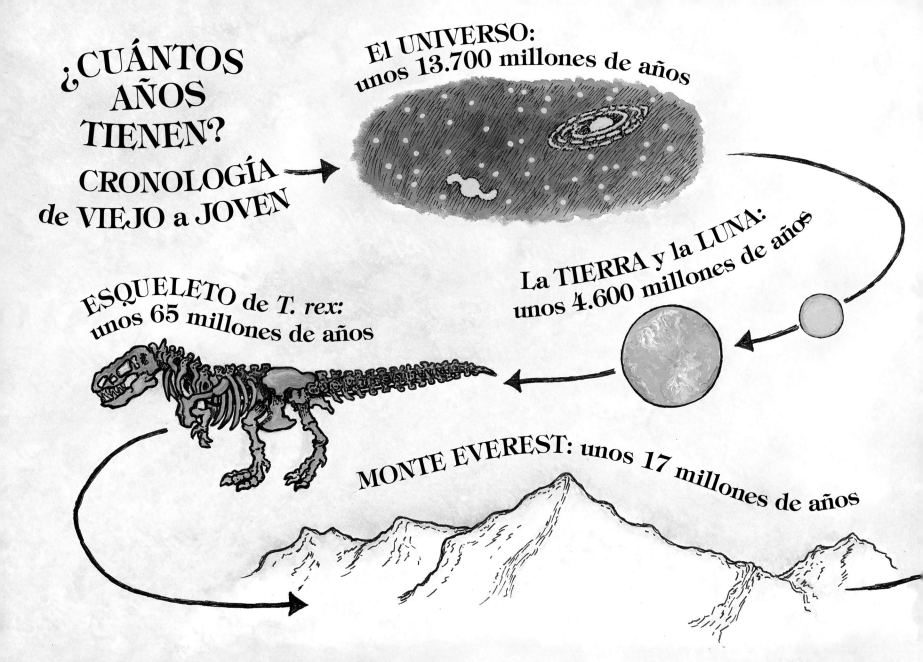

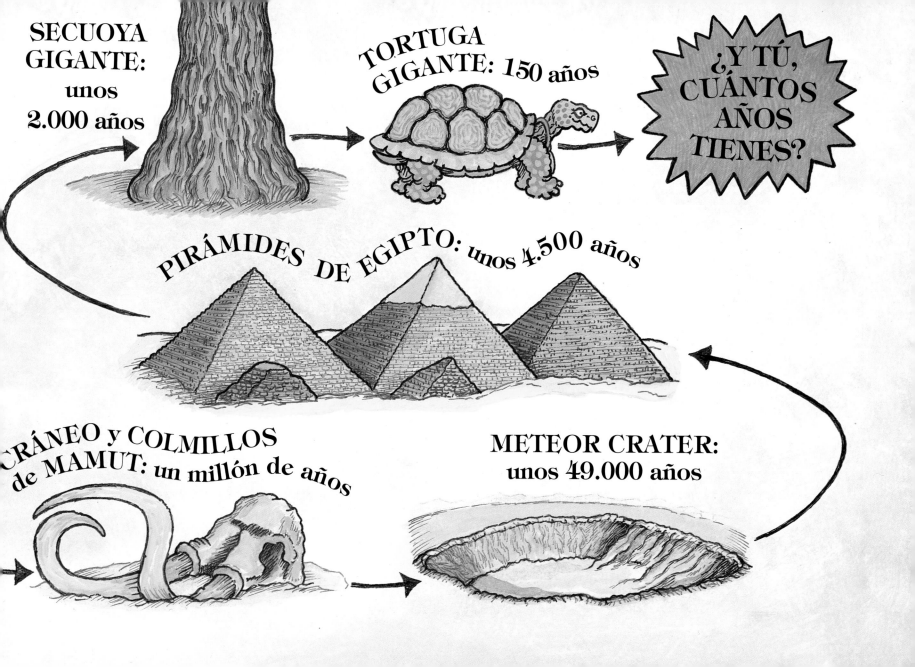

Si miras los arrugados ojos de una tortuga gigante, tendrás la sensación de que ha vivido mucho tiempo y seguro que será cierto. Hay escritos que demuestran que las tortugas gigantes pueden vivir más de 150 años.

La edad de un árbol está registrada en los anillos de crecimiento, y las edades de las pirámides de Egipto están registradas en la historia escrita. Para saber la edad de las cosas muy antiguas, como los fósiles y las montañas, los científicos usan un sistema que se llama DATACIÓN RADIOMÉTRICA.

La radiación radiométrica utiliza nuestro conocimiento del comportamiento de los átomos. Algunos tipos de átomos cambian y se transforman en otros átomos al cabo de un largo período de tiempo. Al medir el número de átomos que han cambiado en un fósil o en una roca, los científicos son capaces de realizar una estimación bastante exacta de la antigüedad del fósil o la roca. Se ha usado la radiación radiométrica para estimar con bastante fidelidad la edad del planeta Tierra: unos 4.600 millones de años.

El Telescopio Espacial Hubble, lanzado el 1990 ha ayudado a los astrónomos a calcular la edad aproximada del Universo. Pero midiendo la temperatura de la radiación cósmica con una nueva sonda espacial lanzada el 2001, los astrónomos fueron capaces de hacer incluso estimaciones más exactas de la edad del Universo: unos 13.700 millones de años.